CW00432951

COMPTINES
EN PYJAMA

© Actes Sud, 1997
ISBN 2-7427-1128-7

Loi 49-956 du 16 juillet 1949
sur les publications destinées à la jeunesse

Les Petits Bonheurs

CORINNE ALBAUT

COMPTINES
EN PYJAMA

Illustrées par
MADELEINE BRUNELET

ACTES SUD JUNIOR

Pour Charles et Maxence

Le petit loir

Le matin
Je suis un petit lapin
Plein d'entrain.

À midi
Je suis une petite souris
Grignoti.

Et le soir
Je suis un petit loir
Qui dort. Bonsoir !

Le jour et la nuit

Quand on dit "bonjour",
Que les enfants courent
Vers l'école pour
Jouer dans la cour,
C'est le jour.

Quand la lune luit,
Que les chats sont gris,
Qu'on est dans son lit
Au calme et sans bruit,
C'est la nuit.

La chute du soir

Comment le soir est-il tombé ?
Est-ce que quelqu'un l'a poussé ?
Est-ce qu'on lui a fait un croche-pied ?
S'est-il cogné ?
S'est-il blessé ?
Faut-il aller le ramasser,
Le soigner ou le consoler ?
La meilleure chose
Pour lui,
C'est qu'il se repose
Toute la nuit.

Les veilleurs de la nuit

Les éboueurs,
Les docteurs,
Les conducteurs de trains de nuit,
Les boulangers,
Les pompiers,
Les infirmières de garde, et puis
Les astronomes,
Les fantômes,
Et les petits bébés qui crient,
Tout ce monde-là
Ne dort pas
En même temps que moi.

Chacun chez soi

L'oiseau dort sur le tapis,
Le chat dort dans son terrier,
Le chien dort dans son nid,
Le lièvre dans son panier.

Non, non, non, ce n'est pas ça,
Un, deux, trois,
Que chacun rentre chez soi.

L'oiseau dort dans son nid,
Le chat dort dans son panier,
Le chien sur le tapis,
Le lièvre dans son terrier.

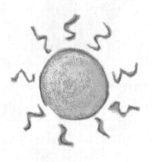

À chacun son lit

Au Japon,
Chez les Nippons,
On ne dort pas dans un lit,
Comme ici.

Au Japon,
Chez les Nippons,
On dort plutôt sur des nattes
Extra-plates.

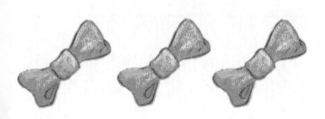

Le hibou du bout du bois

Pendant que tu dors dans ton lit,
Il y a quelqu'un qui veille,
Quelqu'un qui n'a pas sommeil.
Il aime bien vivre la nuit
Et déteste le soleil,
Il s'endort quand tu t'éveilles,
Mais le soir, il devient le roi,
C'est le hibou du bout du bois.

Les reflets de la lune

Dans les volets
De ma chambre à coucher,
Il y a deux petits cœurs découpés.
Quand la lune regarde au travers
Elle pose deux cœurs de lumière
Sur le mur tapissé de papier.

Les chaussons

Bonne nuit mes petits chaussons,
J'ai mis mes pieds sous l'édredon.
N'en profitez pas
Pour faire la java,
Danser la polka,
La valse ou la mazurka.
Quand les petons sont endormis
Les chaussons doivent dormir aussi,
Bien rangés au pied du lit.

Pyjama-poussin

J'ai un pyjama tout neuf
Jaune et blanc.
Je ressemble à un œuf,
C'est frappant,
Et si j'avais un bec,
je crois bien
Qu'on me confondrait avec
Un poussin.

Mon doudou

Pour faire un gros dodo
Il me faut
Un oreiller
Rembourré,
Un matelas
Raplapla,
Une bonne couette
Bien douillette,
Et par-dessus tout
Un doudou très doux.

Dormir, mais comment ?

Pour dormir sur ses deux oreilles
Il faut deux oreillers,
Un de chaque côté.
Pour dormir sur ses deux oreilles,
Ce n'est pas compliqué.

Pour dormir d'un œil, c'est plus dur,
Garder un œil ouvert
Et fermer l'autre paupière.
Pour dormir d'un œil, c'est plus dur,
Je ne sais pas comment faire.

Mon pouce

Dix petits doigts pour m'amuser,
Faire de la pâte à modeler,
Tourner des pages et colorier,
Toucher, montrer, ou bien compter.
Dix petits doigts pour la journée,
Mais au moment de me coucher,
Quand je me sens bien fatigué,
C'est le pouce mon préféré
Pour m'endormir sur l'oreiller.

Les peurs du soir

Maman, regarde sous mon lit
S'il n'y a pas une souris !

Papa, va voir dans mon placard
S'il n'y a pas un dragon noir !

Maman, soulève le rideau rose,
J'ai vu remuer quelque chose !

Papa, ouvre un peu mon tiroir,
Juste pour voir,
J'ai peur, le soir.

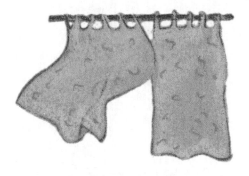

Sous mon édredon

Quand je suis sous mon édredon,
Lourd, lourd, lourd,
J'entends les bruits de la maison,
Sourds, sourds, sourds.
Je m'enfouis dans mon oreiller,
Mou, mou, mou,
Je tiens mon nounours serré,
Doux, doux, doux.
Quel plaisir d'être dans mon lit,
Chaud, chaud, chaud,
Je vais bien dormir cette nuit,
Do do do.

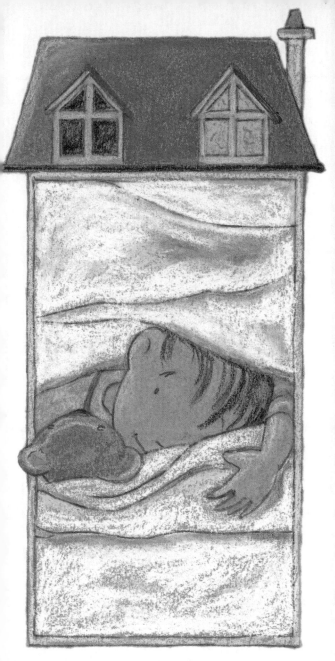

Encore un bisou

Je vais bien dormir ce soir,
Mais je veux d'abord une histoire.

Je vais faire un gros dodo,
Mais avant, je veux un peu d'eau.

Maintenant je dors, promis.
Non, j'ai envie de faire pipi.

Bon cette fois, je suis prêt.
Encore un bisou, s'il te plaît.

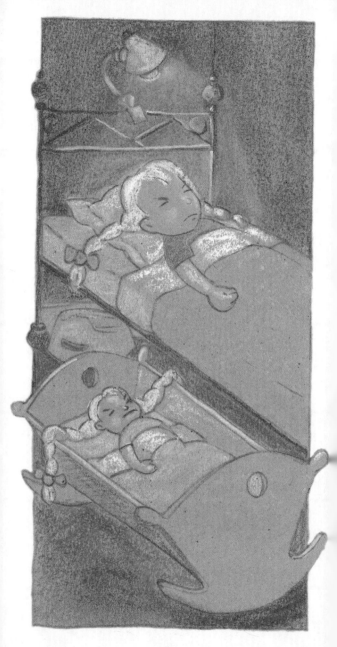

Pour bien dormir

Allongé sur mon lit,
Je fais un gros effort,
Je serre les poings très fort,
Mes jambes et tout mon corps.

Allongé sur mon lit,
Je décontracte tout
En soufflant un grand coup,
Et je deviens tout mou.

Une fois encore,
Et je m'endors.

Le sommeil à mots comptés

J'ai compté des moutons,
J'ai compté des cochons,
J'ai compté des chevaux,
Des vaches et leurs petits veaux.
Comme je ne dormais pas
J'ai compté des chiens, des chats,
Des dindons, des lapins,
Des tortues, des pingouins,
Des marmottes, des souris,
Des moineaux, des ouistitis,
Et je me suis endormi.

J'ai rêvé

J'ai rêvé de moutons,
J'ai rêvé de cochons,
J'ai rêvé de chevaux,
De vaches et de petits veaux.
Et en plus de tout ça,
J'ai rêvé de chiens, de chats,
De dindons, de lapins,
De tortues, de pingouins,
De marmottes, de souris,
De moineaux, de ouistitis,
Et la nuit était finie.

Les rêves à l'envers

En hiver, j'ai rêvé
Que j'allais me baigner.
En été, j'ai rêvé
De sapins enneigés.
Au printemps, j'ai rêvé
Que c'était la rentrée.
En automne, j'ai rêvé
De fleurs de cerisiers.
Cette nuit, j'ai rêvé
Que c'était la journée.
Tout marche de travers
Dans mes rêves à l'envers.

Le cauchemar

Un soir, vers minuit,
Un cauchemar
Rouge et noir
Sauta sur le lit
D'un garçon
Rose et blond.
L'enfant appela
Sa maman
En hurlant.
Quand elle alluma,
Le cauchemar
Rouge et noir
Disparut.
On ne l'a plus jamais revu.

Frère Jacques, êtes-vous fou ?

Frère Jacques
Frère Jacques
Dormez-vous ?
Pas du tout,
J'ai réuni mes amis,
On va jouer à cache-cache,
Aux cow-boys et aux Apaches,
Jusqu'à la fin de la nuit.

Frère Jacques
Frère Jacques
Vous êtes fou !
Pas du tout,
J'en ai assez de sonner
Les cloches tous les matins.
J'ai décidé que demain
Je ferai la grasse matinée.

Le bleu de la nuit

Je connais le bleu de la mer
Presque vert,
Je connais le bleu des bleuets
Vif et gai,
Le bleu des yeux,
Le bleu des cieux,
Pourtant celui que je préfère
C'est le sombre bleu de la nuit
Infinie
Avec ses paillettes d'or clair.

53

La belle étoile

J'ai vu l'Étoile du berger,
La Grande Ourse,
La Petite Ourse,
L'Étoile polaire, la Voie lactée,
Et je me suis senti
Tout petit, tout petit,
Sur notre boule de terre
Au milieu de l'univers.

Des croissants de lune

Madame la lune
Toi qui sais si bien
Faire des croissants, là-haut,
Madame la lune,
Pour demain matin,
J'en voudrais un gros, tout chaud.
Pour le miel,
Je demanderai au soleil,
Pour le lait,
J'appellerai la Voie lactée.

Le prince gourmand

Il était une fois
Une Belle au bois
Endormie pour cent années,
Oubliée, abandonnée.

Un Prince charmant,
Sur un cheval blanc,
Est venu la réveiller
En lui donnant un baiser.

Peut-être qu'un jour
Un Prince en velours
Viendra me dire "il est l'heure"
Avec des croissants au beurre !

Cache-cache images

Clin d'œil de l'illustrateur,
dans chaque grande image,
un détail d'un dessin précédent
est venu se poser en passant
par le bas d'une page.
Alors, es-tu observateur?

61

Table des comptines

Conception graphique,
direction artistique et réalisation :
Repères Communication.

Reproduit et achevé d'imprimer
en janvier 1997
par l'imprimerie Clerc
à Saint-Amand-Montrond
sur papier des
Papeteries de Jeand'heurs
pour le compte des éditions
ACTES SUD
Le Méjean
Place Nina Berbérova
13200 Arles.

Dépôt légal
1re édition : mars 1997
N° imprimeur : 6438
(Imprimé en France)